François Jouffa & Frédéric Pouhier

D0581727

300 proverbes du monde entier

FIRST

Editions

ISBN : 978-2-7540-2071-8
Dépôt légal : 4ᵉ trimestre 2010

Édition : Marie-Anne Jost-Kotik
Assistante d'édition : Charlène Guinoiseau
Mise en page : Sophie Boscardin
Correction : MFCE
Couverture : Olivier Frenot

Imprimé en France

Éditions First-Gründ
60, rue Mazarine
75006 Paris – France
Tél. : 01 45 49 60 00
Fax : 01 45 49 60 01
E-mail : firstinfo@efirst.com
Internet : www.editionsfirst.fr

Bouquets de proverbes en couleurs

Chaque peuple nourrit son âme de petites phrases qu'en des temps lointains, de sages ancêtres avaient pensées, puis écrites. Ces petites phrases se sont améliorées de millénaire en millénaire pour devenir des conseils et, très vite, des commandements (dans la morale judéo-chrétienne) ou des préceptes (pour les bouddhistes). Ces jolies petites phrases, simples à retenir mais au sens souvent abstrait à la première oreille, ont guidé toutes les peuplades de la planète, de l'*Homo sapiens* jusqu'au siècle français des Lumières en passant par Confucius et Kant. On peut les appeler Maximes comme La Rochefoucauld ou Pensées pour Pascal. Disons, proverbes.

Nos instituteurs des Républiques françaises d'antan, avant notre arrivée matinale en classe, s'évertuaient à rédiger chaque jour en haut du tableau noir, en pleins et en déliés même avec une craie, une phrase à méditer. Comme un plat du jour : une « morale » par jour. D'abord la date, puis la petite phrase à lire avant de s'asseoir, et à relire et relire puisqu'elle restait inscrite toute la journée au-dessus des dessins des parcours de rivières (à la craie bleue) ou de la terrible table de multiplication par huit. On revenait de la récréation : le tableau avait été nettoyé avec un chiffon poussiéreux, les leçons précédentes avaient été mal effacées, mais la morale était toujours là, à nous obséder.

C'est ainsi qu'une nation se construit, que ses citoyens s'intègrent les uns aux autres avec de petites phrases comme « Aide-toi, et le ciel t'aidera » ou « Rien ne sert de courir, il faut partir à point ». Plus tard, on comprendra que la Bible était pillée autant que les conclusions des fables de La Fontaine (lui-même plagiaire d'Ésope), ou que ces morales étaient aussi des maximes ou des proverbes ancestraux.

À l'âge adulte, autant par passion que par obligations professionnelles, nous avons eu la chance de voyager. Beaucoup et (presque) partout. Sur la route, certains ramassent des plantes pour constituer un herbier, d'autres collectionnent des pierres et des cailloux. Nous, ce sont les proverbes. Nous vous offrons, ici, un extrait de notre collection.

Ils sont très différents d'un continent à l'autre, mais si semblables en même temps. Ainsi, les prêtres conquistadores du Nouveau Monde avaient constaté que les Amérindiens avaient développé les mêmes mythes, les mêmes légendes et les mêmes petites phrases guides de conduite que les Africains qu'ils avaient déjà évangélisés, bien avant la déportation de ces derniers vers les Amériques.

Montaigne disait que les vérités n'étaient pas semblables d'un côté comme de l'autre des Pyrénées. Il parlait des lois des hommes, pas de leurs codes philosophiques. On note même un effet d'enrichissement d'un pays à l'autre, de complémentarité. Ainsi, les Coréens disent : « Le piment, plus il est petit, plus il pique. » On peut l'interpréter comme l'explication de la force physique et intellectuelle de David face à Goliath. Au premier degré. Mais, quand on apprend qu'au Tibet les lamaïstes de Lhassa considèrent le piment comme l'Esprit critique, ce proverbe de Séoul prend un sens plus... Plus quoi, au fait ?

À vous de lire ces trois cents proverbes du monde entier, de laisser votre esprit vagabonder pour les analyser, les commenter ou, plus simplement, les apprécier comme des perles de nos civilisations.

Tous ces proverbes glanés un peu partout dans le monde, lors de nos pérégrinations, nous avons d'abord tenté de les classer par pays ou par continents. Ce n'était pas concluant. Nous avons, ensuite, essayé de les ranger par genres, amour ou humour, vie ou mort, métaphysique ou physique, morale et/ou poésie. Le sommaire, quelles que soient nos listes, était impossible. Absurde. Nous les avons donc mélangés en les disposant harmonieusement. Et, comme un beau bouquet de fleurs est constitué de couleurs et d'espèces différentes, il nous a semblé qu'ainsi l'offre de ces proverbes était plus attrayante, sinon plus fascinante. Alors, bonne lecture...

Lira bien qui lira le dernier !

● F.J.

L'éléphant
ne peut courir et
se gratter les fesses
en même temps.

Zimbabwe

Qui a peur des loups
ne va pas au bois.

Russie

De même
qu'une grande distance
révèle un bon cheval,
le temps révèle
une personne de bien.

Thaïlande

Le perroquet mange le maïs
et c'est la perruche
qui en est accusée.

Brésil

Bavardage est écume sur l'eau,
action est goutte d'or.

Tibet

L'amour sans jalousie
est comme un Polonais
sans moustache.

Pologne

On ne peut marcher
en regardant les étoiles
quand on a une pierre
dans un soulier.

Chine

Ne dégaine pas une épée
pour tuer un moustique.

Corée du Sud

Seul un étranger
va s'abreuver dans un étang
où est mort un chien.

Congo

Tu reconnais l'or dans le feu et
l'homme dans la peine.

Croatie

Le temps n'est pas du savon,
mais il blanchit.

Sénégal

La pierre s'érode,
l'homme ne change pas.

Yémen

Les cheveux gris
sont les fleurs de la mort.

Danemark

Pour bâtir haut,
il faut creuser profond.

Mongolie

Timide avec ton maître,
tu ne t'instruis pas ;
timide avec ta femme,
tu n'as pas d'enfant.

Cambodge

**Dieu n'aurait pu être
partout et, par conséquent,
il créa les mères.**

Proverbe juif

Vis ta vie simplement,
c'est déjà assez fou.

Tibet

Un enfant juge
selon son cœur,
un adulte selon les actes.

Inde

**Douze highlanders
et une cornemuse
font une rébellion.**

Écosse

**Qui tient le bâton
tient le buffle.**

Inde

Compagnons de beuverie,
vilains amis.

Russie

La parole doit être
vêtue comme une déesse
et s'élever
comme un oiseau.

Tibet

Quand ton filet est emmêlé,
prends le temps
de le démêler : le poisson
ne va pas se sauver.

Sénégal

La véritable noblesse
consiste non pas à être
supérieur à un autre homme,
mais à ce qu'on était
auparavant.

Inde

Les jours sont nombreux
mais ils sont contrariés
par un seul.

Zimbabwe

Le buffle laisse sa peau
en mourant, l'homme mort
laisse sa réputation.

Vietnam

Qui avale une noix de coco
fait confiance à son anus.

Côte d'Ivoire

Ceux qui ne réalisent rien
dans leur vie sont
beaucoup plus prompts
à critiquer ceux qui font
beaucoup d'efforts
pour réaliser quelque chose.

Haïti

La gloire du savant
est dans ses livres,
celle du marchand
est dans son coffre-fort.

Liban

Portez votre main
rapidement à votre chapeau
et lentement à votre bourse.

Danemark

Même le tigre,
s'il est blessé, fait pitié.

Corée du Sud

Le clou souffre
autant que le trou.

Pays-Bas

**Moins il y a de bouillie,
plus il y a de cuillères.**

Malaisie

**La marche des fourmis
fera disparaître un jour la pierre
sur laquelle elles passent.**

Tamoul, Inde

Celui qui reste chaste
et meurt d'amour,
meurt martyr.

Proverbe arabe

Le cœur d'une femme
est aussi fuyant
qu'une goutte d'eau
sur une feuille de lotus.

Vietnam

Un ruisseau à nombreuses
sources ne tarit jamais.

Cameroun

L'enclume ne se met pas
en peine des coups.

Allemagne

Il y a deux fous
dans tout marché :
l'un qui ne demande pas assez
et l'autre qui demande trop.

États-Unis

**Les cinq sens sont cinq portes
pour les péchés.**

Suède

**L'enfer est rempli
de personnes qui regrettent.**

Mexique

**Une mère comprend
la langue de son fils muet.**

Géorgie

L'argent ressemble
à l'hôte de passage :
aujourd'hui il arrive,
demain il n'est plus là.

Madagascar

En fuyant la pluie,
on rencontre la grêle.

Turquie

Qui traverse la mer...
peut traverser un ruisseau.

Tunisie

La neige ne brise jamais
la branche du saule.

Japon

Les menaces ne font pas
gagner un combat de lutte.

Sénégal

L'arbre qui tombe fait
plus de bruit que
la forêt qui pousse.

Congo

L'homme porte son destin
attaché à son cou.

Proverbe arabe

Être syndicaliste,
c'est porter sa pierre tombale
sur le dos.

Colombie

Le miroir est l'âme
de la femme comme le sabre
est l'âme du guerrier.

Japon

Même dans une cage d'or,
le rossignol regrette
son bosquet.

Russie

Abréger le souper
allonge la vie.

Allemagne

Les ampoules aux mains
sont plus honorables
que les bagues.

Estonie

Un œuf ne lutte pas
avec un caillou.

Sénégal

**Les mots sont des nains,
les exemples des géants.**

Suisse

**De la rose sort l'épine...
de l'épine sort la rose.**

Tunisie

**Les paroles ne salent pas
la soupe.**

Brésil

**De la hâte il ne reste
que la fatigue.**

Venezuela

**Le putois ne sent pas l'odeur
de ses aisselles.**

Niger

On ne peut exiger plus
de la neige que de l'eau.

Pologne

Vu de loin,
même le poivre devient suave ;
à portée de main,
le sucre devient amer.

Pakistan

Il est plus facile
de connaître dix pays
qu'un seul homme.

Proverbe juif

On doit honorer le chêne
sous lequel on habite.

Islande

La main qui donne
est toujours au-dessus
de celle qui reçoit.

Guinée

Le loup dit où il y a
de la viande dans la vallée
où il n'est pas entré.

Ouzbékistan

La liane parvient
au sommet d'un grand arbre
en s'appuyant sur lui.

Tibet

La douleur est comme le riz
dans un dépôt : si chaque jour
on en prend un panier,
à la fin il n'y en a plus.

Somalie

Éloignez vos tentes,
rapprochez vos cœurs.

Proverbe touareg

La calme sagesse
est une épouse fidèle,
la précipitation est
une prostituée.

Malaisie

Tout coq qui chante le matin
a souvent le cou cassé le soir.

Canada

Se marier, c'est diviser
vos droits par deux
et doubler vos devoirs.

Écosse

La barbe n'amène pas la sagesse.

Russie

Les mots que l'on n'a pas dits sont les fleurs du silence.

Japon

Quand l'eau baisse,
les fourmis mangent
les poissons ;
quand l'eau monte,
les poissons mangent
les fourmis.

Thaïlande

Cherche une femme
qui te plaise à toi,
non aux autres.

Roumanie

Si tu as de nombreuses
richesses, donne de ton bien ;
si tu possèdes peu,
donne de ton cœur.

Proverbe arabe

La paix avec un gourdin
dans la main,
c'est la guerre.

Portugal

L'oiseau ne fait jamais
palabre avec l'arbre,
car il finit toujours
par s'y poser.

Côte d'Ivoire

Apercevoir le mandarin,
c'est déjà trois dixième
d'une catastrophe.

Chine

N'allonge pas ton bras
au-delà de ta manche.

Angleterre

Pour sa mère,
le petit corbeau est précieux
comme de l'or.

Sri Lanka

Le fardeau est léger
sur l'épaule d'autrui.

Russie

L'eau prend toujours
la forme du vase.

Japon

Si une rangée de fourmis
traverse une rivière,
c'est qu'elles ont trouvé
un bois mort tombé
au travers de la rivière.

Congo

Si la forte voix servait
à quelque chose, l'âne se serait
fait construire des palais.

Liban

Le pénis de la hyène
n'est pas une balançoire
pour un chevreau.

Sénégal

Ouvre tes yeux
avant le mariage, car après,
tu ne peux que les fermer.

Maroc

La beauté est pire que le vin,
elle enivre et le possesseur
et le spectateur.

États-Unis

Le chameau ne voit pas
la courbe de son cou.

Algérie

Si les gens te pèsent,
ne les porte pas
sur tes épaules.
Prends-les dans ton cœur.

Chili

Les feuilles d'un arbre
ne tombent pas très loin
de sa souche.

Cambodge

Ne te mêle pas d'aider
l'éléphant à porter
ses défenses.

Chine

Un escalier se balaie
en commençant par le haut.

Roumanie

Qui a un toit de verre
ne tire pas de pierres
chez son voisin.

Canada

Le compagnon de lit
se choisit pendant
qu'il fait jour.

Suède

La vie humaine est
une rosée passagère.

Japon

Les marques du fouet
disparaissent,
la trace des injures, jamais.

Tanzanie

Bonne épouse
et grasse soupe aux choux,
n'allez pas chercher
d'autres biens.

Russie

Un seul doigt
ne peut prendre un caillou.

Mali

En Sibérie,
l'hiver dure douze mois.
Le reste, c'est l'été.

Russie

Éduquer une femme,
c'est éduquer un village.

Angola

Loue ton ami en public
et critique-le en tête à tête.

Maroc

Si tout le monde
devient seigneur,
qui fera tourner
notre moulin ?

Russie

Tâche d'être un saint,
et toutefois ne t'estime point.

Allemagne

Aucune fleur ne fleurit
dix jours, aucun pouvoir
ne dure dix ans.

Corée du Sud

**La porte fermée,
on est empereur
dans son royaume.**

Mongolie

**Si je dois mourir
dans la brousse, que ce soit
le lion qui me tue.**

Sénégal

Si l'autorité n'a pas d'oreille
pour écouter, elle n'a pas
de tête pour gouverner.

Danemark

Un cochon ne peut pas
se retenir devant une carotte
de manioc.

Congo

Là où est le fagot
de cannes à sucre,
là viennent les fourmis.

Sri Lanka

Tout singe paraît une gazelle
aux yeux de sa mère.

Tunisie

Une petite colline
te fait arriver à une grande.

Afrique du Sud

Là où le sang a coulé,
l'arbre de l'oubli
ne peut grandir.

Brésil

On peut sonder mer et fleuve,
mais qui peut sonder
le cœur des hommes?

Vietnam

Quand le coffre est ouvert,
même le plus honnête
est un voleur.

Mexique

Aller doucement
n'empêche pas d'arriver.

Nigeria

La méchanceté d'un homme
fait de lui un démon,
la méchanceté d'une femme
fait d'elle un enfer.

Danemark

La vérité est au fond
du verre.

Russie

La mort est à la fois plus
grande qu'une montagne et
plus petite qu'un cheveu.

Japon

Quand une tuile tombe
de ton toit, c'est l'opportunité
de voir dix mille étoiles.

Argentine

Le verger d'une femme pauvre
est dans son corsage,
et son champ sous son tablier.

Estonie

Une baguette est facile
à casser, dix baguettes sont
dures comme fer.

Chine

Si le babouin pouvait voir
son derrière, lui aussi rirait.

Kenya

N'insultez pas un crocodile
lorsque vos pieds sont
encore dans l'eau.

Afrique du Sud

Le temps est une lime
qui travaille sans bruit.

Algérie

Celui qui s'est brûlé
en mangeant chaud,
souffle même
sur un morceau froid.

Grèce

La trahison ne réussit jamais ;
lorsqu'elle réussit,
on lui donne un autre nom.

États-Unis

L'argent qui entre
chez le mandarin
est comme du charbon
jeté dans le four.

Vietnam

Un seul frôlement de manches
fait naître l'amour.

Japon

Le temps chaud d'une année
est effacé par la pluie
d'un seul jour.

Malaisie

La vraie sagesse se trouve
loin des gens
dans la grande solitude.

Proverbe inuit

Le juge est comme
l'essieu de la charrette :
dès qu'on le graisse,
il cesse de grincer.

Roumanie

Si, en bâtissant,
on écoutait les avis
de tout le monde,
le toit ne serait jamais posé.

Mongolie

Ce n'est pas parce que
l'on se lève tôt que
l'aube arrive plus rapidement.

Mexique

Si tu tombes dans le mortier,
échapperas-tu au pilon?

Sri Lanka

La barque s'en va,
la rive demeure.

Cambodge

Face à l'éloquence,
les montagnes hochent la tête.
Face à l'insulte,
elles redressent la tête
avec agressivité.

Tibet

Jamais l'affamé ne fait
trop cuire son pain.

Croatie

On ne peut donner que
deux choses à ses enfants :
des racines et des ailes.

Proverbe juif

On ne peut applaudir
d'une main.

Inde

Écouter sa femme mène
à la ruine, ne pas l'écouter,
au déshonneur.

Corée du Sud

Le moustique n'a pas pitié
d'un homme maigre.

Mongolie

On ne peut pas faire l'amour
avec toutes les femmes,
mais il faut quand même
faire un effort.

Portugal

Rassasié,
on devient Bouddha ;
affamé, on devient
un diable malfaisant.

Vietnam

Le meilleur miroir ne reflète pas
l'autre côté des choses.

Japon

Quand les roubles tombent
du ciel, le malchanceux
n'a pas de sac.

Russie

L'amour et la haine sont
un voile devant les yeux :
l'un ne laisse voir que le bien ;
et l'autre, que le mal.

Proverbe arabe

Dieu écrit droit avec
des lignes courbes.

Portugal

Un penny économisé
est un penny gagné.

Écosse

L'homme le plus rusé
n'a jamais vu sa nuque.

Proverbe arabe

Le cœur est son propre ami
ou son propre ennemi.

Sri Lanka

Mets un rustre en selle,
et il partira au galop.

Angleterre

Le chien a plus d'amis
que les gens, car il remue plus
la queue que la langue.

Argentine

La mort de l'un est le pain
de l'autre.

Islande

Plus proches sont les dents
que les parents.

Roumanie

Les chiens n'aiment pas
le bâton, les hommes n'aiment
pas la vérité.

Tibet

Il est impossible de se tenir
debout en ce monde
sans jamais se courber.

Japon

Si le cours d'eau change
d'itinéraire, le caïman est obligé
de le suivre.

Burkina Faso

La bouillie de riz que
l'on mange sans s'être endetté
suffit au corps.

Sri Lanka

Le bonheur est comme l'écho :
il vous répond,
mais ne vient pas.

Roumanie

Celui qui a une maison
n'en a qu'une, celui qui n'en a
aucune en a mille.

Inde

Le riz qui est dans
ton grenier est ton ennemi
parce qu'il excite la jalousie
de ceux qui n'en ont pas.

Thaïlande

Le taureau qui a souffert
du soleil tremble à la vue
de la lune.

Corée du Sud

Souhaite le mal à qui tu hais,
il retombe sur qui tu aimes.

Maroc

Mieux vaut transmettre
un art à son fils que de
lui léguer mille pièces d'or.

Chine

Les vieilles églises ont
des vitraux sombres.

Allemagne

Le mot que tu retiens entre
tes lèvres est ton esclave.
Celui que tu prononces
est ton maître.

Proverbe arabe

Même à Paris, on ne fera pas
de l'avoine avec du riz.

Russie

Il n'est de pire pauvreté
que les dettes.

Inde

La deuxième bouchée
n'est jamais aussi douce
que la première.

Serbie

On ne se lasse pas de l'arc
parce qu'on est revenu
bredouille de la chasse.

Mongolie

Si tu donnes des coups
de cornes, donne-les à ceux
qui ont des cornes.

Mexique

Suis le conseil de celui
qui te fait pleurer, et non
de celui qui te fait rire.

Proverbe arabe

Je me plaignais de
ne pas avoir de chaussures ;
je ne me plains plus
depuis que j'ai vu celui
qui n'avait pas de pieds.

Algérie

**Pour faire un tango
comme pour faire un bébé,
il faut être deux.**

Argentine

**Celui qui a un ami véritable
n'a pas besoin d'un miroir.**

Inde

**Que Dieu te préserve
de l'aveugle
lorsqu'il commencera à voir.**

Maroc

Qui s'endort médisant
se réveille calomnié.

Chine

Le fleuve fait des détours
parce que personne
ne lui montre le chemin.

Gabon

Dans un étang, il n'y a pas
de place pour deux dragons.

Chine

Là où se trouve le champ,
là doit vivre le criquet.

Indonésie

Apprends la sagesse
dans la sottise des autres.

Japon

On ne peut pas empêcher
un cœur d'aimer.

Canada

Si grandes soient tes richesses,
quand tu sors,
tu vois quelque chose
qui ne t'appartient pas.

Sénégal

À quoi sert l'étendue
du monde quand nos souliers
sont trop étroits?

Serbie

Ne vous mariez pas
pour de l'argent ; vous pouvez
emprunter meilleur marché.

Écosse

On vaut autant d'hommes
qu'on connaît de langues.

Maroc

La pierre précieuse
change-t-elle de couleur
si on la jette
dans les ordures?

Sri Lanka

Le sac des désirs
n'a pas de fond.

Japon

À force de persévérance
et de courage, la petite fourmi
finit par arriver au sommet
de la montagne.

Togo

Mieux vaut une chèvre
qui donne du lait
qu'une vache stérile.

Estonie

La richesse est une patrie
pour l'exilé.

Liban

Écarte-toi de celui qui n'aime
pas le pain ou la voix
d'un enfant.

Suisse

Trois choses font aller
le monde de travers :
ne pas écouter les personnes
âgées, écouter ses désirs,
avoir bonne opinion
de soi-même.

Tunisie

Quand tu ouvres les yeux,
je vois ton cœur.
Quand je ferme les yeux,
je vois le monde.

Tibet

**Le tigre compte sur la forêt,
la forêt compte sur le tigre.**

Cambodge

Le vent n'a pas de mains,
et pourtant il secoue
les arbres.

Corée du Sud

Un grain de maïs
a toujours tort
devant une poule.

Bénin

La bonne volonté
raccourcit le chemin.

Brésil

Si tu veux enduire le visage
des autres avec de la boue,
tu devras d'abord enduire
tes mains.

Corée du Sud

En évitant le tigre,
on rencontre le crocodile.

Thaïlande

Quand Dieu donne,
il ne demande pas :
« Qui es-tu ? »

Inde

Nous mourrons tous,
mais nos tombes
sont différentes.

Malaisie

La pluie tombe toujours
plus fort sur un toit percé.

Japon

Un homme oisif
est l'oreiller du diable.

Italie

Pour une passoire,
ce n'est pas un défaut
d'avoir des trous.

Liban

Il faut toujours garder
le sourire, parce que ça coûte
moins cher que l'électricité,
et ça illumine la vie.

Colombie

Le prodigue est
un futur mendiant,
l'avare est un éternel
mendiant.

Russie

En atteignant le but,
on a manqué tout le reste.

Japon

Vie sans amour,
année sans été.

Suède

La queue du chameau
ne peut pas recouvrir
ses fesses et ne peut pas
chasser les mouches.

Sénégal

L'aumône est une prière
silencieuse.

Proverbe arabe

Élève des corbeaux,
et ils t'arracheront les yeux.

Mexique

Le sage parle des idées,
l'intelligent des faits,
le vulgaire de ce qu'il mange.

Mongolie

Dix gendres ne valent pas
un beau-père.

Thaïlande

Qui te craint en ta présence,
te nuit en ton absence.

Italie

Là où les vautours virevoltent,
c'est qu'il y a une carcasse.

Namibie

Les tonneaux vides
sont ceux qui font
le plus de bruit.

Proverbe juif

La maison qui est bâtie
au goût de tous
n'aura pas de toit.

Suède

Si les chats portaient
des gants, ils n'attraperaient
pas de souris.

Inde

Tous, nous sommes faits
d'une même argile, mais
ce n'est pas le même moule.

Mexique

C'est la vue du mur qui donne
l'envie au bouc de se gratter.

Algérie

Quand le cheval a soif,
il ne dédaigne pas
l'eau trouble.

Serbie

N'attelle pas la charrue
à l'escargot.

États-Unis

Si ton ennemi est dans l'eau
jusqu'à la ceinture,
tends-lui la main ;
si l'eau lui monte aux épaules,
appuie sur sa tête.

Espagne

Au royaume de l'espoir,
il n'y a pas d'hiver.

Russie

Quand on est arrivé au but
de son voyage, on dit
que la route a été bonne.

Chine

Il vaut mieux être
le premier dans son village
que le dernier à la ville.

Roumanie

Un peuple sans culture,
c'est un homme
sans parole.

Algérie

Les hommes ont
tout perfectionné,
sauf les hommes.

États-Unis

**Si tu es riche, rappelle-toi
que sans tes vêtements
tu serais nu.**

Cambodge

**L'ouverture,
c'est comprendre la divergence
des points de vue.**

Gabon

La richesse donne
des jambes aux boiteux,
de la beauté aux laids,
et de l'intérêt aux larmes.

Arménie

La paresse est la mère
de tous les vices.
Mais une mère,
ça se respecte !

Colombie

L'ivrogne cuve son vin,
le fou cuve en vain.

Russie

Qui aime le luxe
et les belles choses
doit veiller toute la nuit.

Tunisie

Ce n'est pas à un chat
que l'on confie de garder
le lait.

Sri Lanka

Le descendant d'un singe
n'est rien d'autre qu'un singe.

Sénégal

Ne jette pas la provision d'eau de ta jarre parce que la pluie s'annonce.

Togo

Quand les gros maigrissent, les maigres meurent.

Chine

Dans une maison d'or,
les heures sont de plomb.

Suisse

Vaincu, on sera réduit
en cendres ; vainqueur,
en charbon de bois.

Malaisie

Un vieil homme assis voit
plus loin qu'un jeune debout.

Algérie

Dieu fit les hommes inégaux.
Le colt les rendit égaux.

États-Unis

Le jeune bambou remplace
le vieux bambou.

Vietnam

La plus belle fille,
c'est la sienne ;
la plus belle récolte,
c'est celle du voisin.

Corée du Sud

**Les jeunes vont en bandes,
les adultes par couples,
et les vieux tout seuls.**

Suède

**Celui qui a des enfants
vit comme un chien et meurt
comme un homme ;
celui qui n'en a pas
vit comme un homme
et meurt comme un chien.**

Proverbe juif

Le crabe enseigne à ses petits
à marcher droit.

Malaisie

Quand deux éléphants
se battent, l'herbe en est
écrasée. Quand ils font l'amour,
elle ne l'est pas moins.

Indonésie

Ce n'est pas le champ
qui nourrit,
c'est la culture.

Russie

Les pistolets sont chargés
par le diable, mais ce sont
les imbéciles qui les utilisent.

Mexique

L'arbre a dit à la hache :
« Tu me fais mal. »
Elle lui a répondu :
« C'est toi qui m'as offert
le manche. »

Algérie

Mieux vaut allumer
une chandelle que de maudire
l'obscurité.

Chine

Il suffit d'un poisson pourri
pour contaminer
tout le panier.

Maroc

Ne te brûle pas les doigts
à moucher la chandelle
d'autrui.

Angleterre

Tous les biens du singe sont dans sa joue.

Sénégal

Instruire le vieillard, c'est écrire sur l'eau ; instruire l'enfant, c'est écrire sur la pierre.

Proverbe arabe

Celui qui a des connaissances,
on le dit méchant ;
celui qui est intelligent,
on le dit fou.

Cambodge

La femme est elle-même
sa propre dot.

Inde

La couronne du tsar
ne le protège pas
contre le mal de tête.

Russie

La vie finit toujours
par remettre chacun
à sa juste place.

Chili

Toutes les forteresses
qui ont été dressées finissent
par être détruites.
Tous les hommes qui sont nés
finissent par mourir.

Tibet

La télévision est
le chewing-gum de l'œil.

États-Unis

Ris de la vie avant
qu'elle ne se moque de toi.

Tunisie

Prie Dieu mais continue
de nager vers le rivage.

Russie

Il y a deux sortes de gens :
ceux qui peuvent être heureux
et ne le sont pas,
et ceux qui cherchent
le bonheur sans le trouver.

Proverbe arabe

Le compagnon de la femme
est l'homme, le compagnon
de l'homme est le travail.

Inde

Les bruits rampent plus vite que
ne volent les nouvelles.

Russie

S'il va dehors, même le chien
peut rencontrer le bâton.

Japon

Quand tu arrives en haut
de la montagne, continue
de grimper.

Tibet

C'est la petite branche
d'arbre que tu négliges
qui te blessera l'œil.

Algérie

L'amour fait passer le temps,
et le temps fait passer
l'amour.

Italie

Tout a une fin,
sauf la saucisse
qui en a deux.

Allemagne

Il arrive qu'un baobab
ait des épines.

Sénégal

Qui tue le lion, en mange.
Qui ne le tue pas,
en est mangé.

Algérie

Lorsque tu montes à l'échelle,
souris à tous ceux que
tu dépasses, car tu croiseras
les mêmes en redescendant.

États-Unis

Un bout de bois, il peut rester
longtemps dans un fleuve,
ce n'est pas pour autant
qu'il va se transformer
en crocodile.

Sénégal

Il n'y a que le ciel
qui voit le dos
d'un épervier.

Mongolie

C'est gaspiller du savon
que de laver la tête
d'un singe.

Sénégal

Couche-toi et sois malade,
tu sauras qui te veut du bien
et qui te veut du mal.

Espagne

Il vaut mieux avoir vécu
vingt-cinq jours comme
un tigre qu'un millénaire
comme un mouton.

Tibet

L'enfant c'est de l'argile,
il prend toujours la forme
qu'on lui donne.

Sénégal

Même une feuille de papier
est plus légère
si on la porte à deux.

Corée du Sud

Les mouches ont peut-être changé, mais les ordures restent les mêmes.

Angola

La vengeance ne répare pas un tort, mais elle en prévient cent autres.

Proverbe arabe

Le prix du chapeau n'est pas
en rapport avec la cervelle
qu'il coiffe.

États-Unis

J'ai un chameau
en Mauritanie,
c'est facile à dire.

Sénégal

À force de vivre d'espérance,
on meurt dans le désespoir.

Italie

Celui qui veut taquiner
un nid de guêpes
doit apprendre à courir vite !

Togo

Si tu veux devenir veuve,
sois belle d'abord.

Sénégal

Celui qui dégaine le second
est un homme mort.

États-Unis

Il aime comme le loup
aime la brebis.

Russie

Quand la racine est profonde,
pourquoi craindre le vent?

Chili

**Dans la nuit noire,
sur la pierre noire,
une fourmi noire,
Dieu la voit.**

Proverbe arabe

Si étroite soit la marmite,
le sel peut toujours y pénétrer.

Sénégal

À la fin de la partie,
le Roi et le Pion retournent
dans la même boîte.

Italie

Quand le sage montre la lune,
l'imbécile regarde le doigt.

Chine

Prêter fait souvent perdre
l'amitié ou l'argent.

Maroc

S'il y a deux capitaines
sur un bateau, il va couler.

Île Maurice

Index par pays

Dans la collection **Le petit livre de** vous trouverez également **les thématiques** suivantes :

Le petit livre de Cuisine ● ● ● ● ● ●

Le petit livre de Culture générale ● ● ● ● ● ●

Le petit livre de Insolites ● ● ● ● ● ●

Le petit livre de Tourisme ● ● ● ● ● ●

Le petit livre de Langues ● ● ● ● ● ●

Le petit livre de Humour ● ● ● ● ● ●

Pour consulter notre catalogue et découvrir les dernières nouveautés, rendez-vous sur **www.editionsfirst.fr** !